Grace

Maoilios Caimbeul

Clàradh Dàta-Foillseachaidh Leabharlann Bhreatainn:
Tha clàr-fhiosrachaidh foillseachaidh dhan leabhar seo
ri fhaighinn bho Leabharlann Bhreatainn

ISBN 978-1-912052-49-3

Air a chur ann an clò 11pt Minion Pro
aig Haddington, Alba

Air a chlò-bhualadh le Clò & Dealbhachadh West Port,
Cill Rìmhinn

Suaicheantas na Sreatha Bàrdachd air a dhealbh
le Graeme Clark.

An còmhdach air a dhealbh le Fearghas MacFhionnlaigh,
le Salm 67:3 à Bìoball Comann-Bhìoball na h-Alba 2000. Bha ealain a'
chòmhdaich stèidhichte air na dealbhan-camara seo:

Albatras (JJ Harrison) https://commons.wikimedia.org/wiki/
File:Diomedea_sanfordi_-_SE_Tasmania.jpg

An Talamh bhon Fhànas (NASA) https://tinyurl.com/y4zjkuzc

Chuidich Comhairle nan Leabhraichean am foillsichear
le cosgaisean an leabhair seo.

British Library Cataloguing in Publication Data: a catalogue record for this publication is available from the British Library

ISBN 978-1-912052-49-3

Typeset in 11pt Minion Pro at Haddington, Scotland

Printed by West Port Print & Design, St Andrews

Poetry Series Logo designed by Graeme Clark

Cover designed by Fearghas MacFhionnlaigh, with Psalm 67:3 from the New International Version. The cover artwork was based on the following photographs:
Albatross (JJ Harrison) https://commons.wikimedia.org/wiki/File:Diomedea_sanfordi_-_SE_Tasmania.jpg
Earth from Space (NASA) https://tinyurl.com/y4zjkuzc

A grant from the Gaelic Books Council is gratefully acknowledged

Clàr-innse

Tha às-earrannan nan salm bhon tionndadh den *Bhìoball Ghàidhlig*, 2000 AD, le Comann-Bhìoball na h-Alba

Nochd cuid de na dàin ann an *Record na h-Eaglaise Saoire* agus ann an *Northwords Now*.

Contents

English epigraphs are from *The Psalms of David in Metre*, Trinitarian Bible Society, 1998.

Some poems have appeared in the *Free Church Record* and *Northwords Now*.

Gràs

1

Tha a h-uile càil na ghibht,
ris an can sinn gràs,
bhon Tì uile naomh

gràsan gun àireamh
a' sruthadh bhon t-sìorraidheachd
tro gheatachan tìm'

gràs na gealaich, gràs an uisge,
gràs a' ghràidh, gràs na tuigse,
gràs na mara, gràs na cealla,

gràs an t-solais, gràs fhlùraichean,
gràs a' chàirdeis, gràs nan dathan,
'S os an cionn uile gràs an t-Slànaigheir,

Ìosa Crìosd, gibht an Athar,
nì sinn luaidh air, nì sinn aithris,
gus an latha thèid sinn thairis.

2

Ach cuideachd tha an durrag air ghur nar càil,
an diabhlaidh a' milleadh a' ghràis,
galaran, tubaistean, miastadh is bàs;

a Dhè thoir dhuinn an sealladh sìorraidh,
teasairg sinn aig deireadh an là.

Grace

1

All is a gift
from the infinite Holy One –
we call it grace

graces unlimited
streaming from eternity
through the gates of time

grace of moon, grace of water,
grace of love, grace of wisdom,
grace of sea, grace of cell,

grace of light, grace of flowers,
grace of friendship, grace of colours,
above all the Saviour's grace,

Jesus Christ, Father's gift,
we will praise him and tell of him
until the day we pass over.

2

But also the maggot broods within,
the diabolic, the spoiler of grace,
diseases, accidents, mischief and death;

Lord give us the eternal perspective,
rescue us at day's end.

An Cruthachadh

1

Thig a h-uile nì bho ghràs,
mise is tusa, a' bhileag feòir,
's na rionnagan a chì sinn os ar cionn:

spreadh a' mhìorbhail à 'neoni'
billeanan bhliadhnaichean air ais
's às an 'neoni' thàinig sìol
às na dh'èirich mean air mhean
flùraichean iongantach nan speur.

Dh'fhosgail am flùra cosmach
a-mach tro chuairtean àrsaidh
às an tàinig na billeanan reul
Andromeda, Orion agus An Crann,
's reul-chriosan neo-aithnichte gun àireamh
a' sguabadh a-mach gu cian;
gach nì ro-òrdaichte, a' taomadh
eileamaidean taghte, eagraichte,
a threòraicheas mu dheireadh thall
gu saoghal beò le beatha,
le 'ghràsan glòrmhor anns gach gnè,
èisg na fairge, eòin nan speur,
beathaichean annasach na talmhainn
agus ceist mhòr na cruinne fhèin,
thusa, mise,
an sealgair a tha a' sireadh eòlais,
am fear 's an tè a sheallas suas
air Slighe Chlann Uisnich gu h-àrd,
's math dh'fhaodte a chuireas a' cheist:

The Creation

1

All things come from grace,
you and I, the blade of grass,
the stars of the vast sky:

they say the miracle came from 'nothing'
billions of years ago
and from the 'nothing' the seeds
from which gradually arose
the marvellous flowers of the sky.

There opened out the cosmic flower
the ancient wheelings
the constellated billions
Andromeda, Orion and the Plough,
myriad galaxies untold
sweeping out endlessly;
select elements exactly organised
to lead in the end
to a world full of life,
each kind filled with glorious grace,
the fish of the sea, the birds of the air,
the amazing animals of the earth
and the cosmic question mark itself,
you and I,
the searcher after knowledge,
the one who looks up to the Milky Way,
and who might say:
from where this amazing cosmic order?

cò às a thàinig òrdugh iongantach nan speur?
Cò às na mìle gràs tha dòrtadh
bhon t-sìorraidheachd a bh' ann o thùs?

2

Ach cuideachd bidh cùisean a' dol ceàrr,
an diabhlaidh a' milleadh a' ghràis,
òrdugh uaireannan ag adhbhrachadh bàs.

A Dhè thoir dhuinn an sealladh sìorraidh,
teasairg sinn aig deireadh an là.

Gràs nan speur 's nan atam

Do speuran tràth thug mi fa-near,
obair do mheuran fhèin . . . (Salm 8.3)

1

Tha a h-uile nì na ghibht 's na ghràs
a' taomadh oirnn à flaitheas àrsaidh
mar a chunnaic Daibhidh fhèin e
's e don Tì as àirde a' sleuchdadh.
Ach dhuinne gu mòr nas motha a' mhìorbhail
's sinn a' faicinn doimhneachd speuran,
nach robh fhios aigesan mun timcheall,
nach gabh a chreidsinn am meudachd,
ceud billean reul-chrios an àireamh
a tha reul-eòlaichean a' tuairmse,
a Dhè, nach iongantach a' chùis sin
's tu 'g ainmeachadh air fhèin gach aon dhiubh!

From where the thousand graces
pouring out from beyond time?

2

But also things will go wrong.
The diabolic appears, spoiler of grace,
the well-ordered issuing in death.

Lord give us the eternal perspective,
rescue us at day's end.

Grace of Sky and Atom

When I consider the heavens,
the work of thy fingers . . . (Psalm 8.3)

1

Everything is gift and grace
pouring on us from ancient skies
just as David himself saw it
as he bowed before the most high.
But for us the miracle is much greater
as we see into the depth of space,
that he knew nothing about,
and the unbelievable extent,
a hundred billion galaxies the number
astronomers estimate,
O God, isn't that most wonderful
and that you name each one of them!

’S sinne air ar planaid mìn-chruthaichte
gach atam na àite mar a b’ fheudar
ainmhidhean is daoine ag èirigh
à còd is cànan DNA brìoghmhor,
a h-uile nì an òrdugh diongmhalt’
e seasmhach mar do choibhneas gràdhach
a chaidh ’stèidheachadh o chian nan cian;
do ghealladh ann an seasmhachd Nàdair
’s gun tàinig thu fhèin nad Mhac gar sàbh’ladh;
sinne bhon a’ chlàbar thruagh seo
a nì an saoghal seo na uaigh dhuinn.

Bhon chaidh an cruinne-cè a stèidheachadh
bha e an dàn dhut tighinn nar làthair,
do làthaireachd gu tur mun cuairt oirnn
ann ar cridhe ’s nar buadhan,
teachdaireachd iongantach nan speur
’s brath an Spioraid cheart cho geur,
mun cuairt dhuinn fiosrachadh a’ deàrrsadh
ag èigheach tuig gur ann bho Ghràdh e.

2

Ach tha e fìor gun tèid rudan ceàrr
le DNA, agus thig tinneasan bàsmhor,
an diabhlaidh a’ milleadh beatha is slàinte.

A Dhè thoir dhuinn an sealladh sìorraidh,
teasairg sinn aig deireadh an là.

And we on our finely structured planet,
each atom perfectly placed,
animals and people emerging
from a powerful DNA code and language,
everything in a steadfast order,
as steadfast as your loving-kindness
established in the long, long ago;
your promise in the immutability of Nature
and that you yourself came as your Son to save
us from this dreadful mire of our making,
which will make this world our grave.

Since the universe was created
it was meant that you be with us,
surrounded completely by your presence
in our hearts and senses;
the amazing message of the skies
and the Spirit's message just as real,
all around us information shining,
declaring: understand this is from Love.

2

But it's true things can go wrong
with our DNA, deadly diseases,
the diabolic spoiling life and health.

Lord give us the eternal perspective,
rescue us at day's end.

Dathan 1

1

'S e gràs nan dathan gràs sònraicht'
a thàinig à seòmar gliocas Dhè,
bho uaine ciùin a nì gach nì cho sìtheil
le mìle snuadh a chithear anns a' choill,
gu dearg a chuireas na cuislean gu gluasad,
a bheir fuil gu ar cuimhne is aimhreit gharg.

Bha mi aig tè-leighis, thuirt i rium,
aig do chasan tha an dearg
ag èirigh à dian-theas na talmhainn;
an uair sin aig do leasraidh orains
às an èirich miann is blàths na beatha;
's mun cuairt do stamaig buidhe
a' samhlachadh tuigse is tùr;
's aig ìre a' chridhe tha bann uaine,
an t-àite às an tig gràdh is gaol;
's mud amhaich tha cearcall gorm
nas fhaisge air bogha-frois an spioraid;
's far a bheil d' aodann 's do dhaonnachd
tha gràs ionmholta a' phurpaidh
agus os a chionn bàn-phurpaidh,
an ìre as àirde,
daonnachd a' coimeasgadh le solas nèimh.

'S e gràs nan dathan gràs sònraicht'
a thàinig à seòmar gliocas Dhè;
na dathan a' dèanamh cothlamadh prìseil
mìorbhail solas neo-chrìochnach nan speur.

Colours 1

1

The grace of colours is a special grace
from God's wisdom room,
from peaceful green
with its thousand woodland shades,
to artery-pulsing red
reminding us of blood and fierce encounter.

I was at a healer who said,
red is at your feet
rising from the molten earth;
then round your thighs is orange
signifying desire and the warmth of life;
and yellow round your waist,
representing intelligence and sense;
and at your heart level a band of green
the source of affection and love;
and round your neck is blue
nearer to the multi colours of spirit;
and where your face and humanness is
there is the fine grace of purple
and above it lilac
the ultimate
the human merging with heaven's light.

The grace of colours, a special grace
from God's wisdom room,
a priceless synthesis,
the endless miracle of light.

2

Ach cuideachd gun teagamh tha an dubh
's an dearg, a' cruinneachadh ann an sgòthan tiugh,
an diabhlaidh a' toirt aingidheachd gu buil.

A Dhè thoir dhuinn an sealladh sìorraidh,
teasairg sinn bhon stoirm 's bhon tuil.

Dathan 2

Nuair a rinn an Tì Naomh gràs
iongantach nan dathan, gealltanas
an earraich, na craoibhe, a' bhogha-fhroise,
faodaidh tu a bhith cinnteach, cinnteach
nach tàinig e à inntinn mhic an duine
no à mèinnearan dall, bodhair
na tràighe 's nan creag.

Nuair a spreadh an cruthachadh na dhiog
bha inntinn an duine is dathan mar ghealladh
do dh'àm ri teachd, fada, fada
san tìm dhomhainn a bha ri thighinn.
Dh'fheumadh gach nì bhith dìreach
ceart aig an toiseach ud, a h-uile feart
air a thomhas gu leud na ròine
agus nas lugha. Cha thachradh sin

ach le inntinn agus cumhachd air a chùlaibh
a tha cho fada os cionn ar bith
's a tha na reul-chriosan cian cho fada
os cionn an ataim as lugha a tha sa chrèadh.
Èist rium Athair Naoimh, Athair
nan uile dhath, is soillsich orm
led inntinn thùsail, gur tusa
màthair-uisge nan uile bhith.

2

But certainly there is also the black
and red, malevolent clouds gathering,
the diabolic brings evil to pass.

Lord give us the eternal perspective,
rescue us from the gathering dark.

Colours 2

When the Holy One created
the amazing grace of colours, a promise
for the spring, trees and rainbow,
you may be sure
it didn't come from the mind of man
or from the deaf and blind chemicals
of shore and rocks.

When the creation sprang in its moment
the human mind and colours were like a promise
for a future time, a potential for a distant
deep time still to come.
Everything had to be perfect
in that beginning, every power
measured to a hair's breadth
or less. It wouldn't happen

in the absence of Mind and Power
so far above our being
as the distant galaxies are above
the least atom of the clay.
Listen to my plea, Holy Father,
Father of all colours,
and show me yourself to be
the source of all that is.

Nuair a dhùisg mothachadh gu ciall
aig na tràth athraichean is mhàthraichean
chunnaic iad am feur gu robh e maiseach,
caoin, a' ghrian a' soillseadh air gu rèidh
air gach taobh, gun robh anns an uaine
sàbhailteachd is sìth, 's ann an craobhan
na coille gun robh na h-eòin a' seinn,
gathan buidhe, aitealan òir.

Agus chunnaic iad dearg, gun do rinn
an Tì Naomh dearg, àm èirigh na grèine
's aig a dol fodha, ròsan nan speur,
's an fhuil nuair a lot an saighead,
's anns an teine nuair a loisg an cunnart,
's anns an aiseid nuair a dhùisg a' bheatha,
's anns an duilleach nuair a shìolas beatha
chunnaic iad dearg, 's chuir e eagal orra.

Ach bha sìth sa bhogha-fhrois, bogha
os an cionn a' toirt cofhurtachd, Spèis
a' tighinn às na speuran, thuirt iad,
na dathan uile a' deàrrsadh, dearg,
orains, buidhe, uaine, gorm,
purpaidh is bàn-phurpaidh an co-sheirm,
ceòl dathan an fhlaitheis a' dèanamh
gàirdeachas ri frasan ùrar a bheir fàs.

2

Ach cuideachd bidh am bogha-frois na thàmh,
am feur seargte, na beathaichean seasg,
an diabhlaidh ag adhbhrachadh tart is pràmh.

A Dhè thoir dhuinn an sealladh sìorraidh,
teasairg sinn bhon stoirm 's bhon tuil.

When awareness became rational
with the ancient patriarchs and matriarchs,
they realised the grass was beautiful,
kind, with the sun shining on it mildly
everywhere, that in the green
was safety and peace, in the trees
of the wood the birds sang,
flashes of yellow, gleams of gold.

And they saw red, that the Holy One
had made, red at sunrise
and at sunset, rose hues in the sky,
and in the blood at arrow's wounding,
and at the fire when danger flared,
and at delivery when life awakened,
and in the leaves when life expires
they saw red, and it scared them.

But there was peace in the rainbow, a peace-
giving rainbow above them, Love
coming from the skies, they said,
all the colours beaming, red,
orange, yellow, green, blue,
purple and violet in harmony,
the music of heaven's colours
rejoicing in fresh growth-giving showers.

2

But also the rainbow will be absent,
the grass withered, the animals barren,
the diabolic bringing on drought and gloom.

Lord give us the eternal perspective,
rescue us from drought and famine.

Gràs na h-Eilthireachd

Aig sruthan coimheach Bhàbiloin,
shuidh sinn gu brònach bochd . . . (Salm 137:1)

Calum Cille a' meòrachadh

1

Bidh mi tric a' smaoineachadh air Èirinn,
mar a chaidh a h-uile càil ceàrr, Fionán
agus mi fhìn ag argamaid mu leabhar,

salmadair a sgrìobh mi le mo làimh fhìn,
's mi faireachdainn gur ann leamsa a bha e
's thàinig an argamaid gu buillean aig Cúl Dreimhna.

Ò Ìosa dèan tròcair orm, mi smaoineachadh
air na daoine a chaill am beatha sa bhlàr;
bidh mo chogais gam dhìteadh gu bràth.

Mi nise nam eilthireach an Eilean Ì
gun mi ag iarraidh ach sìth 's chan e cogadh,
teasairg mi a Dhè bho smuaintean aingidh.

2

Tha eilthireachd agus eilthireachd ann
talmhaidh agus nèamhaidh,
aon gar sgaradh bho thìr is chàirdean,

aon gar sgaradh bhon Bhunait Shìorraidh,
bhon Tì Naomh, màthair uisge
agus adhbhar na beatha, sochairean tìm

dè th' annta ach faileasan gun bhrìgh,
a theicheas leis a' ghaoith 's leis an uisge,
a Dhè teasairg m' anam dhan bheatha shìorraidh.

The Grace of Exile

By Babel's streams we sat and wept,
when Sion we thought on . . . (Psalm 137:1)

Colmcille considers

1

Often my thoughts are on Ireland,
how everything went awry, Fionán
and I arguing over a book,

a Psalter transcribed by my own hand,
all mine, I thought, all mine,
and it came to blows at Cúl Dreimhna.

Dear Lord Jesus have mercy on me,
thinking of those who lost their lives;
forever more my conscience condemns me.

Now on Iona, an exile,
wishing for peace not war,
save me O Lord from evil thoughts.

2

There are different forms of exile,
worldly and heavenly,
one cuts us off from land and relatives,

one cuts us off from the Eternal One,
the Holy One, fount
and reason of life, the benefits of time

which disappear with the wind and the rain,
O Lord rescue my soul for the life eternal.
Nothing but worthless shadows

Tha tart is cìocras mòr air m' fheòil
an geall ort fhèin gach àm
a Dhè stiùir mi bho eilthireachd gu sìth,

gu do Mhac, solas na sìorraidheachd
(chan e Èirinn, nam fhògarrach bhom mhuinntir)
an fheòil agus an fhuil a bheir beatha,

beatha mhaireannach, nuair a dh'fhalbhas tìm,
agus sinn air ar n-èideadh san trusgan fhìor.

3

Ach cuideachd chan eil fhios aig cuid
gu bheil eilthireachd bhuat ann, am bruid
aig an diabhal, iad gu tur dall mun staid.

A Dhè thoir dhuinn an sealladh sìorraidh,
teasairg sinn bhon doille a nì goid.

I thirst for you, my whole being longs for you,
in a dry and parched land,
Lord guide me to the exile of peace,

to your Son, the eternal light,
not Ireland, exiled from my people,
but the flesh and life-giving blood,

everlasting life, when time flees,
clothed in the garment of peace.

3

And there are some unaware
of such a thing as exile from you,
devil's captives, totally blinded.

Lord give us the eternal perspective,
rescue us from eternal death.

Ìobairt

An spiorad briste, tùirseach, trom,
siud ìobairt Dhè nan dùl: *(Salm 51:17)*

Tha ìobairt sgrìobhte sna reultan,
san fhuil, san fheòil, san atam,
air a chlò-bhualadh far a bheil beatha,

beatha agus bàs a' dol còmhla,
mar làimh agus miotag, an cat
agus an luch, an leòmhann agus wildebeest,

an duine agus a' bhò, mar chreich
a' toirt am beatha mar ìobairt do chàch,
sin mar a tha, 's mar a bhios gu bràth.

Ach thusa, Ìosa, 's tu a' phrìomh ìobairt,
toiseach agus deireadh an sgeòil,
teachdaire Dhè a thighinn a dh'innse

gur e ìobairt cnag na cùise, sgrìobhte
sna reultan bho thoiseach a' chruthachaidh,
gu bheil gach nì beò na ìobairt tìme,

's gum bu chòir gach nì a nì sinn
a bhith na ìobairt bogte ann an gràdh,
mar an t-sàr-ìobairt air crann a' chràidh,

Slànaighear an t-saoghail a dh'fhuiling
gu saor-thoileach airson sluagh na cruinne.
A-riamh cha robh leithid ann de ghràs.

Sacrifice

A broken spirit is to God
a pleasing sacrifice: (Psalm 51:17)

Sacrifice is inscribed in the stars,
in blood, in flesh, in the atom,
imprinted wherever there is life;

life and death go together,
hand in glove, the cat and the mouse,
the lion and wildebeest,

man and the cow, the prey
is a sacrifice for the other,
so it is, and how it will be forever.

But you, Lord Jesus, were the sacrifice supreme,
the beginning and end of the story,
God's messenger to let us know

sacrifice is the essence of things, inscribed
in the stars from the very beginning,
everything living, a sacrifice to time,

and so all we do ought to be
an offering infused with love,
like the supreme sacrifice on the wretched cross,

Saviour of the world who suffered freely
for humankind.
Never ever was there such a grace.

Uisge

Tha abhainn ann, le 'sruthan sèimh, nì cathair Dhè ro-ait;
Fìor àite naomh an tì as àird', am bheil sìor chòmhnaidh aig.
(Salm 46:4)

Cò às a thàinig thu? Cò thu?
A' còmhdach na talmhainn mar bhrat deàlrach,
thusa a bh' ann o chian nan cian,

bog mar mheileabhaid, a' suathadh mo chraicinn
mar shìoda, a' glanadh salchar air falbh
's mi gad òl, thu gam chumail beò,

nad shamhla air a' Mhac a thàinig bhon doimhneachd,
bhon dìomhaireachd mus robh tìm idir ann,
tha mi air chrith a' smaoineachadh ort, air mhire

a' gabhail beachd air do dhraoidheachd
gur tu stuth iongantach nam mìle feart,
tùs na beatha, oir às d' aonais

cha bhiodh beatha idir ann, thu criomadh
nan creagan, a' giùlan am maitheis
an abhainn 's an allt gu achadh rèidh

a' lìonadh mo chridhe le aoibhneas
mi air mhisg le do shòlas, le do chumhachd,
Ò a Thì naoimh, tha mi air mo lìonadh

le sàth do mhaitheis, mìorbhail do ghràis.
Thu air a dhol os cionn mo thuigse
mi air chall ann am mire do ghràidh.

Water

A river is, whose steams do glad the city of our God;
The holy place, wherein the Lord most high hath his abode.
(Psalm 46:4)

Where did you come from? Who are you?
Like a radiant mantle you cover the earth,
you were there from time immemorial,

soft as velvet, stroking my skin
like silk, cleaning away the dirt,
and drinking you, you keep me alive,

symbol of the Son who came from the deep,
from the mystery before time began,
I tremble thinking of you, ecstatic

thinking of your magical qualities,
the amazing substance of a thousand powers,
the fount of life, without you

there would be no life at all; you erode
the rocks, carrying their goodness
in river and stream to the level field.

You fill my heart with gladness,
I'm drunk with your joy, with your power,
O Holy One, I am filled

with the depth of your goodness, the miracle of your grace.
You're beyond my understanding,
I'm lost in the dance of your love.

Breitheanas

Ach mairidh Dia gu bunaiteach; chuir cathair suas chum breith.
Bheir air an domhan cothrom ceart, le còir don t-sluagh fa leth.
(Salm 9:7-8)

An Diabhal, an t-Aingeal agus an Siriche

An Diabhal (ris an t-Siriche):
Na gabh dragh, tha fhios agad nach eil breitheanas ann,
tha thu làn teagaimh, nach eil, agus cuideachd làn ana-miann.
Tha fhios agad nach eil ann ach saobh-chràbhadh,
na sgeulachdan a tha iad ag innse mu nèamh agus ifrinn,
nach eil ann ach rudan nìtheil; thusa a dh'èirich
mar na beathaichean às an ùir. Thèid thu dhan uaigh
agus sin e, cha bhi guth ort tuilleadh, siuthad,
ith, òl agus bi suthach, gabh do shàth dhen fheòil.

An Siriche
Tha thu ceart, tha mi làn theagamhan, chan eil mi cinnteach
cò tha ag innse na fìrinn, an duine nìtheil a tha ag ràdh
gu bheil an inntinn air èirigh às an dust 's gu falbh i
mar a dh'fhalbhas an dust, 's nach bi breitheanas ann,
no am ministear 's an sagart aig a bheil sgeulachd eile,
sgeulachd a tha a' cur crith nam fheòil,
gun tàinig a h-uile càil bho inntinn,
màthair-uisg' nan uile bho thùs.

An Diabhal (a' gàireachdainn)
Na gabh dragh, cò riamh a dh'èirich às an uaigh?
Cò riamh a thàinig air ais a dh'innse mu nèamh
no ifrinn? Aislingean dhaoine, faoineas
a tha aig daoine le eagal ron bhàs.

Judgement

God shall endure for aye; he doth for judgement set his throne;
In righteousness to judge the world, justice to give each one.
(Psalm 9:7-8)

Devil, Angel and Seeker

The Devil (to the Seeker)
Don't worry, fine you know there's no judgement,
full of doubts you are, aren't you, and also lust.
You know it's all just superstition,
the stories they tell about heaven and hell,
there is only matter, the material, you came
like the animals from the soil. You'll be buried
in the grave, and that's it, forgotten, go on,
eat, drink and be merry, take your pleasure of the flesh.

The Seeker
You're right, I'm full of doubts, I'm not sure
who's telling the truth, material man who says
mind has emerged from the dust and as the dust goes
so will it, there'll be no judgement,
or the minister and priest who have a different story,
a story that harries my flesh,
that everything came from mind,
a mind there from the very beginning.

The Devil (laughing)
Don't worry, who ever rose from the grave?
Or came back to tell of heaven or hell?
Human dreams; stupidity
of people who have a fear of death.

An t-Aingeal (ris an t-Siriche)
A thaobh breitheanais, tha breitheanas ann,
gràs sònraichte a tha tighinn bho bhrìgh is susbaint Dhè.
Na creid an diabhal, cuiridh e gu tur ceàrr thu,
creid mise, aingeal Dhè. Tha breitheanas ann
air fhighe a-steach ann an clò na cruinne;
bha e ann bho thùs, brìgh an Spioraid shìorraidh,
a' feitheamh ri cruthachadh an duine
a chanadh 'nì mi seo', 'tha sin ceàrr',
'tha seo ceart'. Tha thu beò, a' fighe clò do bheatha,
's innsidh do chiall dhut gun tig an latha
nuair a bheir an t-Uile-lèirsinneach breith
air a' chlò a dh'fhigh thu, gach snàithlean ceart no ceàrr.
Tha fhios aig d' anam air seo bhon taobh a-staigh,
tuig e, a dhuine, 's dèan an ceart.

Agus thusa, a dhiabhail, athair nam breug,
's math a tha dh'fhios agad gun tàinig aon
air ais o na mairbh, esan a rinn an ceart,
esan a bhrùth do cheann, aig a bheil smachd.

The Angel (to the Seeker)
As regards judgement, there *is* judgement,
a special grace, part of God's very essence.
Don't believe the devil, he'll put you wrong,
believe me, the angel of God. There is judgement
woven into the fabric of creation;
it was there from the beginning in the eternal Spirit
waiting for the creation of the human
who would say, 'I'll do this', 'that's wrong',
'this is right'. You're alive, weaving the cloth of your life,
your conscience tells you the day will come
when the All-seeing will judge
the cloth you have woven,
every right or wrong thread.
Your soul has an inner vision of this,
human, understand, and do what is right.

And you, devil, father of lies,
well you know there was one
who rose from the dead, he did what is right,
he who bruised your head, who governs all.

Òran na Cealla

Dè tha tachairt anns a' chealla?
Tha danns' a' dol a h-uile latha

mìrean beaga a' falbh 's a' tighinn
pròtainean gan snìomh 's gam fighe

ann an dannsa clis nan atam
a bheir dhuinn fèithean, feòil is cnàmhan;

moileciuilean nan obair dhìomhair,
le leum is dannsa thar bhriathar,

na trilleanan ag obair còmhla
ann an siansadh a tha sònraichte.

Dè th' ann ach obair sheunta,
nuair nì ceallan ceallan ceudna,

lot ga leigheas ann an tiota,
an fhuil a' tiughachadh gun fhiosta

Tha obair cealla na chùis-iongnaidh,
gràsan Dhè gun stad a' taomadh;

bheir sinn ùmhlachd dhan a' chealla,
tha làn de mhìorbhailean matha.

Song of the Cell

What's happening in the cell?
Every day a dance to tell

elements hurrying to and fro,
proteins forming row on row

in the swift atomic dance,
muscles, flesh and bones enhance;

mysterious molecular cords,
skill and feats beyond words,

trillions working as one
in a rich symphonic song;

each cell a sister or brother,
making copies of each other;

in a flash a wound is healed,
the blood is clotted and congealed.

The cell's work is a conundrum,
God's grace, a work of wonder;

We give homage to the cell,
its intricacies made so well.

Gràs na Dachaigh

Suidhichidh Dia an teaghlaichean an dream tha uaigneach truagh:
Is saoraidh e gu tròcaireach na bheil fo chuibhrich chruaidh . . .
(Salm 68:6)

H-abair dachaigh, h-abair latha,
an latha ud ann am Betani
nuair a dh'ung mi a chasan
le spicnaird agus an uair sin

thiormaich mi iad le m' fhalt.
Cha do chòrd e riutha, Iùdas
gu h-àraidh, ach bha e fhèin
gràdhach, thuig e carson

a rinn mi e, fa chomhair
latha adhlacaidh thuirt e.
Bha sin ann gun teagamh,
ach cuideachd bha gràdh agam dha

agus bha mi ga ungadh mar fhàidh
mar mhac Dhè, oir an latha ud
bha Dia fhèin an làthair.
Dhìon e mi an aghaidh na gràisg',

rinn thu na b' urrainn dhut
thuirt e, agus nuair a thuirt e sin
shil mo dheòir, bha e an-còmhnaidh
cho còir, h-abair latha.

Ach an latha ud thòisich solas
a' deàrrsadh nam chridhe – gur esan
an dachaigh fhìor, a bheireadh aon latha
beatha, lànachd is sìth.

H-abair dachaigh, h-abair latha,
an latha ud ann am Betani
nuair dh'ung mi a chasan
agus a lìon gràdh dha mo chrìdh.

Grace of Home

God doth the solitary set in fam'lies: and from the bands
The chained doth free . . . (Psalm 68:6)

What a home, what a day,
on that day in Bethany
when I anointed his feet
with nard and then

dried them with my hair.
They didn't like it, especially
Judas, but he himself was loving,
he understood why

I did it, I had kept it
for the day of his burial, he said.
Certainly, that was true,
but also because I loved him

and was anointing him as prophet,
as the son of God, for there, on that day
God himself was present.
He protected me from the mob,

you did what you could,
he said, and when I heard it
the tears flowed, he was always
so kind, what a day.

It was the day a light
shone in my heart – he himself
was the true home, who would one day
give life, fulness and peace.

What a home, what a day,
on that day in Bethany
when I anointed his feet
and loved him with all my heart.

A' Beachdachadh

Mar uisge dhòirteadh mise mach, mo chnàmhan sgàint' o chèil':
Mo chridh' am chom an taobh a-staigh, air leaghadh tha mar chèir.
(Salm 22:14)

Na seall air a' ghrian
a dhearbhadh gu bheil i ann
no a dh'fhidir dè th' innte,
nì i dall thu:
ach coimhead mun cuairt ort,
saoghal a' brùchdadh le beatha;
nach eil sin gu leòr dhut
a dh'innse dè a th' os do chionn.

Na coimhead airson aodann
a dhearbhadh gu bheil e ann
le sùilean do chinn,
chan e 'rud' a th' ann an Dia.
Ach coimhead mun cuairt ort
air òirdheirceas an t-saoghail,
cruthan finealta, mìorbhailean
a' glaodhaich Tì neo-fhaicsinneach.

Ach cha do dh'fhàg e neo-chinnteach sinn,
sgrìobh e a charactar san dràma,
thug an t-ùghdar pàirt dha fhèin,
pàirt do-chreidsinneach.
Chan e rìgh no duin' uasal
ach searbhant a bhiodh air a mharbhadh
leinne, gus ar sàbhaladh bhuainn fhìn.
An sàr ghràdh, an sàr ghràs.

Reflection

Like water I'm poured out, my bones all out of joint do part:
Amidst my bowels, as the wax, so melted is my heart.
(Psalm 22:14)

Do not look at the sun
to prove it exists
or to discover what it is,
it will blind you:
Instead, look around you
at a world teeming with life;
is that not enough to tell you
of a power beyond price.

Do not look for his face
or try to prove he is there
with your physical eyes,
God is not an object in the world.
Instead, look around you
and discover beauty, finesse,
fine-tuning, wonders that point
to a source beyond our seeing.

But he didn't leave us guessing,
he wrote himself in the drama,
the author gave himself a part,
indeed, an unbelievable part –
not a powerful king or potentate
but a poor servant to be killed
by us, to save us from ourselves.
The greatest love, the greatest grace.

Gibht na Craoibhe-sice

Mar chraoibh is amhlaidh bithidh e . . . (Salm 1:3)

Deich troighean bhon taigh againn
tha a' chraobh-shice, àrd is eireachdail
ag èirigh gu àirde an taighe,
tha i mar sheann charaid
a tha air a bhith còmh' rium fad mo bheatha,
gibht na talmhainn 's na grèine.

Ach tha cuimhn' a'm nuair a chunnaic mi an toiseach i,
cha robh innte ach gas ri taobh na seann bhàthaich
ri linn mo sheanar, pìos beag bhon taigh aige.
A-nis tha mo sheanair 's a chlann aige air falbh,
's na togalaichean aige gun sgeul orra.

Tha cuimh' a'm nuair chunnaic mi i,
bha i brèagha is caol is òg,
a-nis tha i mòr is daingeann
a' cumail faire air mo sheann aois,
air mo chnàmhan dis, air mo cheumannan lapach –
mise mi fhìn a-nis na mo sheanair –
a' toirt nam chuimhne nuair a bha i fhèin agus mi fhìn òg.

Ach nuair a bhios mise san ùir,
bidh i beò fada as mo dhèidh,
san aon àite,
a' tarraing beatha bhon ghrèin
agus às an talamh.

Sycamore Gift

He shall be like a tree that grows . . . (Psalm 1:3)

There it is, the sycamore ten feet
from our house, tall and splendid
as high or higher than our house,
like an old friend
by my side all my life,
gift and grace of earth and sun.

I remember the first time I saw it,
it was a sapling beside the old byre
in grandad's time, not far from his house.
Now grandad and his children are gone,
the buildings he had, obliterated.

I remember when I saw it,
beautiful, slim and young,
now it is strong and massive
standing watch over the aged,
over my feeble bones, my failing steps –
now that I'm a grandfather –
reminding me of when we were both young,
on that day so long gone.

But when I'm six foot under
it will live long after,
in the same place, drawing life
from the sun and earth.

An Gràdh nach Fàilnich

Ach dh'earb mi à do ghràs; is bidh mo spiorad ait ad shlàint
(Salm 13:5)

Bha dùil a'm gun robh latha nam mìorbhailean seachad / nach robh Dia dha-rìribh ann / a' dol tro fhàsaichean m' aineolais / cha robh fhios a'm ach air an Dia falaichte / bliadhna às dèidh bliadhna a' triall tron eabar / ag iarraidh saorsa / a' dol air mo shlighe fhìn.

Gus an latha a thòisich thu gad shealltainn fhèin / agus cha bhiodh an saoghal gu bràth dhomh tuilleadh mar a bha e / nuair a thachras mìorbhailean dhut / bidh thu beò fo sgàile an uile-chumhachdaich / bidh fhios agad nach ann bhuat fhèin a tha e / gun d' fhuair thu gibht nach gabh a chur am briathran / 's bidh do chridhe a' leum le eagal / agus aiteas / agus bidh thu ag iarraidh adhradh a dhèanamh.

Seo rud a thachair / a' bhliadhna a dh'fhàs mo bhean tinn / le aillse stamaig / fhuair sinn rabhadh os-nàdarra / mus do dh'fhàs i tinn / air bòrd anns an talla tha dealbh de dh'Ìosa / an dealbh ris an can iad Marbhphaisg Thurin / mìos mus d'fhuair i a-mach gun robh aillse oirre / thuit an dealbh far a' bhùird leatha fhèin / gun duine faisge oirre / gu nàdarra / ghabh sinn eagal ar beatha / chuir sinn dheth turas air an robh sinn a' dol.

Mìos às dèidh sin fhuair i a-mach gun robh aillse oirre / gum feumadh i opairèisean fhaighinn / b' àbhaist dhi a bhith smocadh / ach bha i air sgur / bha i dol a cheannach pacaid thoiteanan / i dol seachad air a' bhòrd / thuit an dealbh / taing dhut Ìosa / cha do smoc i idir / a Dhè uile-bheannaichte / bha thu mar gum biodh tu a' gabhail cùram dhi.

Unfailing Love

But I have all my confidence thy mercy set upon;
my heart within me shall rejoice in thy salvation. (Psalm 13:5)

I thought the days of miracles were over / that there really was no God / through the deserts of my ignorance / I knew only the hidden God / year after year travelling through the mire / wanting freedom / going my own way.

Until the day you started to reveal yourself / for me the world would never be the same again / when miracles happen to you / you will live under the shadow of the almighty / you will know it is not from yourself / that you have received an unspeakable gift / your heart will leap with fear / with joy / and you will want to worship.

Something happened / the year my wife became ill / with stomach cancer / we were given a supernatural warning / before she grew ill / on a table in the hallway is a picture of Jesus / what is called the Turin Shroud picture / a month before she was told she had cancer / the picture fell off the table on its own / with no-one near it / naturally / we got the fright of our life / we cancelled a trip we were to go on.

A month later she found out she had cancer / that she would need an operation / she used to smoke / but she had stopped / she was going to buy a packet of fags / passing the table / the picture fell / thank you Jesus / she didn't smoke / blessed God / it was as if you were taking care of her.

Às dèidh sin / ron opairèisean / bha i faighinn chemo / bha i tinn agus lag / ach na beachd fhèin / bha i dol a chur 'bulbs' a bha sa phreasa / dh'fhosgail i an doras / a' dol gan toirt a-mach / thuit an dealbh a-rithist / an treas triop / a Dhè uile-bheannaichte / bha e mar gun robh thu gu cinnteach / a' gabhail cùram dhi.

An latha sin chreid mise / cha b' urrainn dhomh gun creidsinn / taing dhut Ìosa / is tusa an tiodhlac do-labhairt / an gràdh nach fàilnich.

Later on / before the operation / she was on chemo / she was sick and weak / but she thought / she would plant the bulbs in the cupboard / she opened the door / going to take them out / the picture fell again / the third time / blessed God / it was as if it was certain / you were caring for her.

On that day I believed / I couldn't but believe / thank you Jesus / the unspeakable gift / the unfailing love.

Leabhrain Bhàrdachd eile le Handsel

1 Commentary, le Jock Stein (*Beurla*)
2 The Crackit Cup, le Irene Howat (*Albais is Beurla*)
3 Labyrinth, le Rosemary Hector (*Beurla*)
4 Swift, le Jock Stein (*Beurla*)
5 Gràs, le Maoilios Caimbeul (*Gàidhlig is Beurla*)
6 Iolair, Brù-dhearg, Giuthas, le Fearghas MacFhionnlaigh (*Gàidhlig is Beurla*)
7 An Iolaire, le Jock Stein (*Beurla le eadar-th. Gàidhlig le Maoilios Caimbeul*)

Other Handsel Poetry Booklets

1 Commentary, by Jock Stein *(English)*
2 The Crackit Cup, by Irene Howat *(Scots and English)*
3 Labyrinth, by Rosemary Hector *(English)*
4 Swift, by Jock Stein *(English)*
5 Grace, by Myles Campbell *(Gaelic and English)*
6 Eagle, Robin, Pine, by Fearghas MacFhionnlaigh *(Gaelic and English)*
7 The Iolaire, by Jock Stein *(Gaelic trans. Myles Campbell and English)*